Antoinette Portis

Aspetta

il castoro

Per mia mamma, che ha aspettato.

Aspetta
Antoinette Portis

© 2015 Editrice Il Castoro Srl
viale Andrea Doria 7, 20124 Milano
www.castoro-on-line.it
info@castoro-on-line.it

Pubblicato per la prima volta con il titolo *Wait*
Copyright testo e illustrazioni © 2015 Antoinette Portis
Pubblicato in accordo con Roaring Brook Press, una divisione
di Holtzbrink Publishers Holdings Limited Partnership e con
Marco Vigevani & Associati Agenzia Letteraria. All right reserved.

ISBN 978-88-6966-005-4

Finito di stampare a luglio 2015
presso Svet Print d.o.o. - Slovenia

Presto!

Aspetta.

Presto!

Aspetta.

Presto!

Aspetta.

Aspetta.

Aspetta.

Presto!

Aspetta.

Presto!

Presto!

Presto!

Aspetta.